成する。
もを成長させる！

動画付き 改訂版
長なわ　8の字跳び　最強のコツ

Part3　高速8の字跳びに挑戦！　ターナー編　67

※本書は2018年発行の『基本から大会まで　勝つ！長なわ8の字跳び　最強のコツ』を元に、動画コンテンツの追加と書名・装丁の変更、必要な情報の確認・更新を行い、「改訂版」として新たに発行したものです。

長なわ8の字跳びを動画でチェック！

高速8の字跳びのスピード感を動画で確認！
QRコードをスマホやタブレット端末で読み取りましょう。

長なわ8の字跳び

高速8の字跳び

長なわかっとび

　本書は、長なわ8の字跳びがうまくなるためのコツや練習法を紹介しています。大会で勝つために必要なテクニックや考えかたを、項目ごとに見開き完結（練習法は1ページ完結も）で、見やすく実践しやすい作りです。ぜひ本書を読んで、8の字跳びの上達をめざしてください。

本書の内容の一部は動画にて動作を見ることができます。該当するQRコードを読み取り動画を再生してください

コツNo.
49項目のコツや練習法を紹介しています

タイトル
このページで取り上げるテクニックや、具体的なやり方、ポイントでもっとも大切なキーワードです

コツ **19** Part 2　高速8の字跳びに挑戦！ジャンパー編　動画をチェック！

トップの入りかたと跳びかた

8の字のコースを決める感覚的な能力が必要だ！

リズム感のよい人でないとトップは務まらない

コツ18で説明しましたが、トップにはいくつか特別な役割があります。①スタートで1周めのなわを最初に回すこと。②誰に回避するかをいち早く考えて判断していること。

POINT 1 セーフティゾーンの2足分外から入る

セーフティゾーン

POINT 2 後ろから3人めが跳んでいるとき『サン』を開始

後ろから3人目

サン

POINT 3
スタートのタイミングを順を追って練習する

POINT
テクニックや動き方のポイントを各2〜3つ紹介しています。とくに理解しておきたいポイントです

ココ を CHECK!
①セーフティゾーンの2足分外から入ろう
②カウントをはじめる目標地点が向かいの人になる
③スタートをターナーと練習しよう

ワンポイントアドバイス！
ピッチが上がってきたときトップのカウント方法を、ラストから4人めから「ハイ、サン、ニ…」としてもよい！

本文
紹介しているテクニックの概要を解説しています

ココをCHECK!
解説しているポイントのまとめです

Part 4 **36** ジャンパーの練習法①

イメージジャンプ
走るコースと跳ぶ幅を仮想練習する

Part 4 **37** ジャンパーの練習法②

その場ステップ
カウント数とジャンプのタイミングを練習する

練習ページ
より上達するための練習法を紹介しています

ワンポイントアドバイス
ワンポイントとなるプラスαのアドバイスです

Part

1

基本をしっかり
身につける！

チームワークが大切

なわを回す人と跳ぶ人の連携力を高めよう！

POINT 1 うまい人が苦手な子を助ける

苦手な人には得意な人がいっしょに跳んであげるのが上達の近道です。跳べなかったものが跳べるようになれば、信頼にも自信にもなります。長なわ跳びに大切なチームワークがここから生まれます。

POINT 3

「ドンマイ」は安心や信頼の第一歩だ

ミスは誰にでもおこります。ミスをしたのがたまたまその彼や彼女だっただけなのです。8の字跳びは1人が原因でミスすることは少ないです。ミスをした人には「ドンマイ」と言いましょう！

おたがいに協力しあって目標に向かおう

　長なわ跳びはチームワークがとても大切なスポーツです。なわを回す人と跳ぶ人の連携や協力がなければ、よい成績はだせないでしょう。また上手な人も苦手な人もおたがいに刺激しあって、目標に向かいます。問題が見つかったら、みんなでよい解決法を見つけていきます。

　球技のように1人のスター選手が活躍してもよい成績は出せません。だれか1人でも練習をサボればみんなの足を引っぱることになるでしょう。だからこそやりがいのあるスポーツなのです。

POINT 2 ミスをした人の前の8人の責任になる

なわに引っかかったのは、その人だけの責任ではありません。前の人のタイミングがずれたために、後ろの人がミスになることもあるのです。前の8人に原因がなかったかを考えましょう。

ココ を CHECK！

①声は必ずだすようにしていこう
②自分だけできているという考えはなくしていこう
③「もっとこうしよう」というアイデアをどんどん出しあおう

POINT! ワンポイントアドバイス！

ジャンパーはターナーを
ターナーはジャンパーを
信じて練習にとり組み、
ミスをみんなで共有して
はげまし合おう！

動画をチェック！

なわにあわせてカラダを揺らせばタイミングがとれる

POINT 1 ゆっくり大きく揺らす大波でタイミングをおぼえる

「ニ」

「サン」

「ニ」

大波で「サン、ニ、入って、跳ぶ」のタイミングをおぼえます。なわがはなれたときに「サン」、なわが近づいたら「ニ」です。

なわが、ふたたび遠ざかるときになわを追いかけるように「入って」「跳ぶ」をします。

はじめてのなわとびは大波小波からおこなおう！

なわを回さずに、下でゆらゆらと揺らすなわを跳ぶのが大波小波です。最初から回した長なわに入ろうとすると、目の前をなわがビュンビュン通過するため、初心者や小さな子は怖いと感じることがあります。そんなときはこの大波小波からはじめてみましょう。

なわにあわせてカラダも前後に揺らすとタイミングをとりやすくなります。長なわ跳びはこのときの「サン、ニ、入って、跳ぶ」というカウントが基本です。ここでそれを身につけます。

POINT 2

できない人には手を引いてあげる

なわに入れない人は、回す人が手を引いてあげましょう。入るのとは反対の手でなわを回して、タイミングよく導きます。なわの揺れが手を伝わるので、跳ぶタイミングもとりやすくなります。

POINT 3

小波ができた人へはなわを回して次への練習を！

小波ができた人には「入って」のあと跳ぼうとした瞬間、ターナーはなわを1回転大きく回します。そのなわを跳ぶことができたら、「回転しているなわも跳べそうだね」と次への自信をつけてあげます。

ココ を CHECK!

① 「サン、ニ…」と声に出してやってみよう
② なわに合わせてカラダを前後に揺らすと入りやすい
③ 「入って」でなわの真ん中まで全力で走ろう

POINT! ワンポイントアドバイス！

この大波小波は
長なわ8の字跳びの
大切な第一歩なので、
全員ができるまで
がんばってとり組もう！

13

8の字跳びのしくみ

ターナーとジャンパーの呼吸をあわせよう！

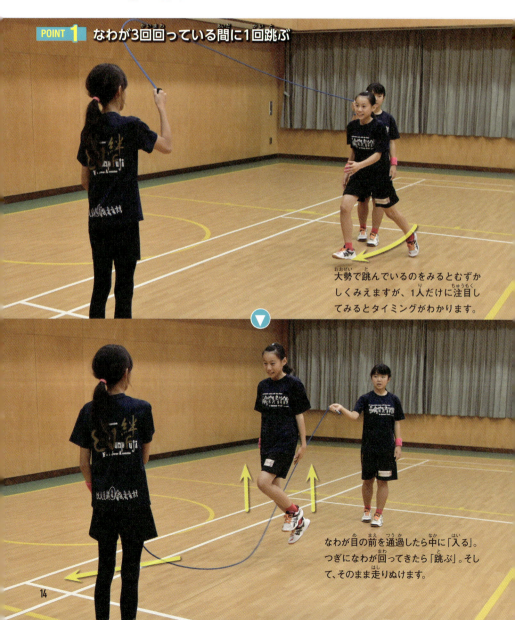

POINT 1 なわが3回回っている間に1回跳ぶ

大勢で跳んでいるのをみるとむずかしくみえますが、1人だけに注目してみるとタイミングがわかります。

▼

なわが目の前を通過したら中に「入る」。つぎになわが回ってきたら「跳ぶ」。そして、そのまま走りぬけます。

回す人をターナー、跳ぶ人をジャンパーと呼ぶ

8の字跳びは名前のとおり8の字を描くように走りながら、交差するところでなわを跳ぶ競技です。短なわ跳びとちがって、回す人と跳ぶ人が別で、なわは2人で回します。跳ぶ人をジャンパー、なわを回す人をターナーと呼びます。

短なわ跳びなら自分が回して自分が跳べばよいからとてもシンプルです。でも長なわ跳びはターナーとジャンパーの呼吸をあわせなければうまくいきません。そして、「入って」「抜ける」という動作が重要になります。

POINT 2

セーフティゾーンと ジャンプゾーンがある

「セーフティゾーン」はなわに近いけれどあたりません。ここをうまく使って入ります。なわが床につくのがジャンプゾーンで、ここで跳ぶと低いジャンプでもなわに引っかかりません。

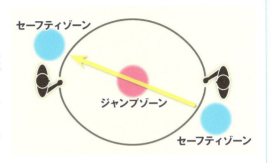

POINT 3

右側と左側から 交互に入る

ジャンパーはターナーの右側と左側から交互に入ります。利き足によって入りやすいと感じたり、むずかしいと感じたりします。好記録をめざすためにもどちらも練習しましょう。

ココ を CHECK!

①ターナーとジャンパーという 呼びかたをおぼえよう
②セーフティゾーンから入って ジャンプゾーンで跳ぶ
③なわが目の前を通過したら 中に入り、回ってきたら跳ぶ

POINT! ワンポイントアドバイス!

「抜ける」動作は、 外側に抜けようとすると つっかえやすくなるため、 セーフティゾーンへ まっすぐ抜けよう!

動画をチェック！

超低速でなわを回す

なわが床をたたく音で
タイミングをとろう！

POINT 1 なわが床をたたく音でタイミングをとる

初心者は、なわが床をたたくのをみるとタイミングをとりやすくなります。なわが床にあたるとトントンと音が鳴るので、それを聞きながらリズムをとるのです。あまりなわを見上げないのがコツです。

POINT 3

肩をたたいて
教えてあげる

それでも思いきって入れない人には、上級生やうまい人が後ろに立って、タイミングよく肩をポンとたたいてあげよう。肩をたたくポイントは「サン、ニ、入って」の「入」のタイミングです。

「入って」で、ジャンプゾーンまで走る

　大波小波ができるようになったら、次は回しているなわに入って跳んでみましょう。回すスピードは、なわがよれないくらいの超低速からでOKです。

　なわを回したからといってむずかしく考えないことが大切です。入るタイミングは大波小波と同じ「サン、ニ、入って、跳ぶ」です。大きな声で「サン、ニ」と数えて、「入って」で思いきってジャンプゾーンまで走りましょう。なわを跳んだら急いで対角線のセーフティゾーンまで走って抜けます。

POINT 2　「入って」でなわが床をたたいたら走る

「入って」のなわが床をたたいたら、そのなわを追いかけるようにジャンプゾーンまで走ります。長なわ跳びにフライングはありませんから、少し早いタイミングで入るくらいでよいでしょう。

ココ を CHECK!

①なわが床をたたく音をよく聞こう
②怖がらずに思いきって
　入れているかな
③大きな声で「サン、ニ、入って」
　と数えよう

POINT! ワンポイントアドバイス!

ゆっくり回るなわでは
なわが床をたたく音と
「サン、ニ、入って」の
声を合わせることが
とても大切だ!

1回おき跳び

1回タイミングをとばして連続跳びを練習する！

動画をチェック！

POINT 1 なわを1回空回りさせる

入って

サン

2番目以降の人は、前の人が「入って」のとき「サン」からカウントを始めます。すると、前の人が「跳ぶ」のときに「二」となり、次になわが1回空回りしているときに「入って」になります。

POINT 3

タイミングのとり方は個人差がある

カウントの仕方は個人差があります。リズム感のよい子は、前の人が入ったのを見てすぐに入れますし、「サン」の前にもう一拍「ハイ」を入れたほうがよいという人もいます。

複数人で呼吸をあわせて跳ぶ

「入って」「跳んで」「抜ける」が1人でスムーズにできるようになったら、いよいよ数人でグループを組んで連続跳びをめざします。ただし、いきなりではちょっとハードルが高いというときには、1回おき跳びをやってみましょう。

先頭はこれまでどおり「サン、二、入って」とカウントします。2番目以降は前の人が「入って」のときから「サン…」とカウントしはじめます。3番目以降もカウントしはじめるタイミングを確認してチャレンジしましょう。

POINT 2 前の人が「抜ける」ときになわに「入って」いく

前の人が跳んでいるときに、次の人はいつでも入れる状態で準備します。前の人が抜けるときに「入って」です。1回おき跳びがスムーズに流れると、「入って」「跳ぶ」「入って」「跳ぶ」になります。

ココ を CHECK!

①前の人が「入って」のとき「サン」からカウントしよう
②「入って」「跳ぶ」「入って」「跳ぶ」をくり返そう
③自分なりのタイミングのとり方をつかもう

POINT! ワンポイントアドバイス!

チーム全員で先頭のカウントから「サン、二、入って、跳ぶ、サン、二、入って、跳ぶ…」と声にだしてとり組もう

動画をチェック！

なわに入るタイミング

中速で全員参加の連続跳びをしよう

POINT 1　自分はどこからカウントするのかを確認する

サン、ニ

1人目

2人目

先頭はなわを回すと同時に「サン、ニ」とカウントしはじめますから、3回空回りしたなわを跳ぶことになります。2人目は、なわが2回転目から、3番目は3回転目から「サン」とカウントしはじめます。

POINT 3

心の中で「サン、ニ」を数える

とうぜんのことですが「サン、ニ、入って、跳ぶ」のタイミングは自分だけのものです。チームの全体練習になったら、ほかの人のジャマにならないように心の中でつぶやくようにしましょう。

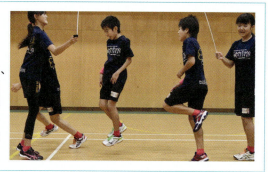

なわがよれないように中速に上げる

グループ練習で前後の人との呼吸の合わせ方がつかめてきたら、次はチーム全員で連続跳びに挑戦しましょう。

これまではなわを低速で回して、入りやすさと跳びやすさを重視していました。でもあまり遅いとなわがよれてしまって、か

えって引っかかりやすくなります。そこで中速程度にピッチを上げましょう。

1回おき跳びとのちがいは、前の人の「跳ぶ」と次の人の「入って」が同じになることです。これによって"間"をあけない連続跳びになるのです。

POINT 2　3人前の人を見てカウント開始

後ろで待っている人は自分の3人前の人が「跳ぶ」のタイミングで、「サン」のカウントを開始します。こうするとちょうど前の人が跳んでいるときに「入って」になります。

ココ を CHECK!

① 中速になってもカウントする
　方法は同じ
②「サン、二、入って」は
　心の中で数えよう
③ 周りに惑わされずに自分で
　タイミングをとろう

POINT! ワンポイントアドバイス!

中程度のピッチというのは
メトロノームの110～130
くらいを目安にして
練習すると
うまくいくことが多い!

うまくいかないときの解決法①

うまく入れない人には
チームワークでサポート

POINT 1 一番近くから見てアドバイスしよう

うまい人は、苦手な人がどこでつまずいているのかを見つけてあげましょう。そして、それを解決できるようにアドバイスをしてあげるのです。

POINT 3

なわが上から来るのを
見ると怖くなってしまう

入れない人はなわを見上げてしまっていて、そのスピードが速くて怖くなることが多いようです。なわが床をたたくところを見るようにして、その音を合図に入るようにするとよいでしょう。

得意な人が苦手な人を助ける

　長なわ跳びが苦手という人は「入って」で、うまく入れない人が多いようです。ジャンプが苦手というよりも、その前の段階でつまずいているのです。これまで説明してきたように、大切なのは「入って」でうまくタイミングをとることです。勇気をだ

せば必ずできるようになります。

　こんなときこそチームワークが試されます。できる人ばかりで組んでしまうと、苦手な人はなおさら苦手になってしまいます。得意な人が苦手な人にアドバイスをしてあげられるような環境を作りましょう。

うまい人と2人組や3人組で組もう

2人組なら上手な人を前にして、苦手な人がついていくようにします。入るタイミングが上手な人の後ろは、タイミングを合わせやすいからです。3人組なら前後をはさむ順番がよいでしょう。

うまい人

ココ を CHECK!

①できる人はできない人に
　アドバイスをしよう
②上手な人にどんどん教わろう
③なわを見上げず、床をみる

POINT! ワンポイントアドバイス!

「入って」のタイミングで
思いきって
なわに入ることが
ジャンパーにとって
一番大事な技術だ!

23

動画をチェック！

うまくいかないときの解決法②

両足踏みきりと両足跳びをやってみよう！

POINT 1　「トン、トン」というリズムでステップする

「入って」のタイミングで「トン、トン」というリズムでジャンプポイントまでステップします。

トン、トン

こうすることで、ジャンプまでの"間"が埋まるので、タイミングをとりやすくなります。

「トン、トン、ピン」で両足ジャンプ

　入ることはできるけれど、ジャンプするタイミングがよくわからないということがあります。そういう人は、「入って」から「跳ぶ」までの"間"を待ちきれずに迷ってしまうのです。そんなときは、両足踏みきりと、両足ジャンプの「トン、トン、ピン」からはじめてみましょう。「入って」はどちらの足からでもOKです。なわが落ちてくる前に「トン、トン」とリズムをつけて、ジャンプゾーンまで進みます。そして「ピン」で両足をそろえて背筋をのばして上にジャンプします。

POINT 2

「ピン」で両足踏みきりジャンプ

2度目の「トン」にアクセントをつけて、両足踏みきりの準備をします。最後に両足をそろえてジャンプポイントに入りましょう。あとは足首とヒザのバネを使って両足跳びするだけです。

POINT 3

着地と同時に「抜ける」

うまく跳べたらあとは抜けるだけです。着地したいきおいを消さないように前に走ります。対角線のセーフティゾーンまでまっすぐに進みましょう。抜けるのが遅いと後ろ足がなわにかかります。

ココ を CHECK!

① 「入って」で「トン、トン」とリズムをとろう
② 「ピン」で両足をそろえてジャンプしよう
③跳びおわったら急いで抜けよう

POINT1 ワンポイントアドバイス!

ジャンプするときは
すこし前に跳んで
「跳びながら抜ける」
とイメージすると
うまくいきやすい!

ジャンプ中の姿勢

「ピン、ピタ、にらめっこ」の姿勢が一番ムダがない！

POINT 1 背筋を伸ばして「ピン」となる

ピン

ジャンプ中は頭のてっぺんからおしりまで、「ピン」と伸ばします。おへそに力を入れて胸を張るように意識すると、キレイな姿勢をつくれます。ネコ背や首をすぼめたりするのはよくありません。

POINT 3

足の裏は床と「にらめっこ」する

「入って」と「抜ける」では、床を蹴るために足を動かしますが、ジャンプ中は動きを止めます。両足のくるぶしをくっつけてそろえ、ヒザを曲げずに足の裏が床と「にらめっこ」しましょう。

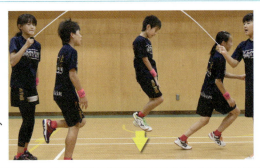

ミスを防ぐには余計な動きをしない

　長なわ跳びでミスしないためには、余計な動きをしないことが大切です。8の字をえがいているあいだは床を蹴って走り、腕を振っていますが、ジャンプするためになわに入ったらできるだけ動作を小さくします。腕を広げるとか、ヒザを曲げるなどのオーバーアクションは見た目にはかっこいいかもしれませんが、ミスしやすいのです。

　ジャンプ中の姿勢は「ピン、ピタ、にらめっこ」とおぼえましょう。それぞれ背筋を「ピン」、両手はカラダに「ピタ」、足の裏は床と「にらめっこ」です。

POINT 2 両手はカラダに「ピタ」とする

ピタ

ジャンプ中に引っかかりやすい部位が手首や腕です。カラダからはなれるほどその危険は高くなります。そこで両手はカラダに「ピタ」が合言葉。気をつけの姿勢がおすすめです。

ココ を CHECK!

①背筋をピンと伸ばした姿勢で
　ジャンプしよう
②オーバーアクションはNG
③空中を滑るような
　イメージで跳ぼう

POINT! ワンポイントアドバイス!

「サン、ニ、入って跳ぶ」の
「跳ぶ」を「ピン」と
言いかえて練習すると
ジャンプ中の姿勢が
どんどんよくなるよ

ジャンプ中の軌道

10cmの高さで1mを跳ぶ ように低くジャンプする

POINT 1 高さは手のひら、幅は1mが理想

理想のジャンプは、手のひらを床に立てたときの高さです。踏みきりから着地までの幅は1mを目安にします。

1m

▼

10cm

およそ10cmの高さで1mを跳ぶのが理想です。低くするどいジャンプを目指しましょう。

ジャンプの軌道は低い孤を描くようにする

初心者は「なわを跳び越そう」という意識が強すぎて高くジャンプしがちです。でも高いジャンプは着地までに時間がかかってしまいますので、ピッチを上げるとなわを抜けられなくなってしまいます。逆に低すぎると、ちょっとタイミングがずれただけで引っかかってしまいます。幅にも同じようなことがいえます。

では、理想的なジャンプの高さと幅はどれくらいでしょうか。また、そのためにはどんなところに注意したらよいでしょうか。理想的なジャンプを考えてみましょう。

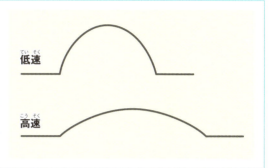

POINT 2

孤がつぶれていく
ほどよい軌道だ

ジャンプ中の軌道を横から見ると右図のようになります。低速では孤はふくらんでいますが、高速になるとほどつぶれていきます。空中を滑るようなイメージで跳ぶと高速の軌道に近づけます。

低速

高速

POINT 3

両足ジャンプだと
スピードが上がらない

両足ジャンプは踏みきったところとほとんど同じ位置に着地します。このジャンプの弱点は、移動する方向が、前→上→下→前とコロコロ変わること。これではスピードは上がらず、高速には向きません。

ココ を CHECK!

①軌道が高いと着地までに
　時間がかかってしまう
②山なりではなく直線的な
　ジャンプをめざそう
③低く、遠くへ、するどく跳ぼう

POINT 1 ワンポイントアドバイス!

自分では確認しにくいので
友達同士で高さ、幅を
確認し合ってみよう。

どんなジャンプに

なっているかな。

なわに引っかからないコツ

なわに引っかかるリスクを
すべて取りのぞく！

POINT 1 ヒザを曲げすぎると足首が外にでる

NG

ヒザを曲げると足首がカラダのラインから外にでてしまい、引っかかりやすくなります。少しなわに触るだけでなわがよれて、次の人が引っかかることも。自分は引っかかっていない、ではいけません。

POINT 3

抜けるときの
後ろ足に気をつける

なわを跳んだあと抜けるのが遅かったり、後ろ足を大きく蹴ったりすると引っかかってしまうこともよくあります。着地したら、できるだけすばやく抜けだすようにしましょう。

シンプルでスマートなジャンプをめざす

「入って」「跳ぶ」「抜ける」をタイミングよくできるようになれば、長なわ跳びの第一段階はクリアです。次の段階として、なわに引っかかりにくいシンプルでスマートなジャンプをめざしていきましょう。

ここでちょっと想像してみてください。

自分の頭から足までが樹木の幹、手や足が枝や葉だとします。枝葉が広く生い茂っていたらどうでしょう。なわはあちこちに引っかかってしまいます。ジャンプ中はできるだけ枝葉を取りのぞいてあげることが大切なのです。

POINT 2 結んでいないロングヘアに注意

N×G

髪の長い女性がジャンプすると、髪が大きく広がって、なわに引っかかることがあります。場合によっては危ないので、長なわ跳びに取りくむときは、後ろや上で小さく結びましょう。

ココ を **CHECK!**

① 足はそろえて、ヒザは軽く曲げるだけ

② 髪の長い女性はジャマにならないところで結わおう

③ 動きの大きなジャンプはミスの原因になる

POINT! ワンポイントアドバイス!

チームで「記録を伸ばす」という目標を立てたらつっかえそうなリスクはすべてとり除くつもりで練習しよう!

ジャンパーの服装

服装は軽くてカラダに フィットするものがおすすめ！

POINT **1** シャツのスソもパンツに入れる

練習中はそれほど気にすることはありませんが、記録をねらうときや、目標としている大会に挑むときには、シャツをパンツに入れるなど、万全の服装で臨みましょう。

POINT **3**

シャツは綿よりも ドライタイプを着る

シャツは軽くて薄いドライタイプがベストです。綿はドライタイプよりも、汗を吸うとさらに重くなり、摩擦も大きくなってしまいます。

綿素材のシャツ　　ドライタイプのシャツ

ドライタイプのシャツを選ぼう

なわが引っかかるのは腕や足などカラダだけではありません。着ているシャツやパンツ、はいているシューズにも引っかかります。服装や身だしなみにもこだわりましょう。

また、なわを回すピッチを上げていくと、引っかかったときに足や腕にあたり、とても痛いものです。ミミズ腫れのようになってしまうこともあります。そこで長袖、長ズボンでもよいでしょう。ただし、あまりダボッとしたものではなく、カラダにフィットするものがおすすめです。

POINT 2　バレーボールシューズがベスト！

シューズは動きやすいものなら基本OKです。ただし、記録をねらうならバレーボールシューズがおすすめです。滑らず動きやすいのはもちろん、溝がほとんどないのでなわが引っかかりません。

NG
溝があり引っかかる
シューズ

OK
溝のない
バレーボールシューズ

ココ を CHECK！

①記録をねらうときには
　万全の状態で挑もう
②シャツは軽いドライタイプが
　ベスト
③シューズは溝がないものを選ぼう

POINT1 ワンポイントアドバイス！

バレーボールシューズの
中でも、足首の部分が
ローカットでくるぶしが出る
「リベロ・セッター用」が
おすすめだ！

ターナーの間隔とピッチの関係

ターナーの間隔を広げてから徐々に距離をせばめていく！

POINT 1 ターナー間を5mくらいに広げる

5m

ピッチを上げようとするとターナーの間隔をせまくしたくなりますが、反対に間隔を広げてみましょう。ジャンパーは助走が長くなり、全力で走って跳ぶことをせまられるため、自然にスピードが上がります。

POINT 3

高速跳びの成功はターナーがカギ！

なわを回しているだけにみえるターナーですが、ピッチが上がるほど負担は大きくなっていきます。ジャンパーは1セットの間に2回しか跳びませんが、ターナーはその間ずっとなわを回し続けているのです。

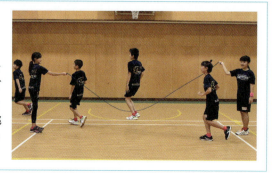

ピッチを上げていくときの注意点

チームのみんなが、ある程度跳べるようになったら、ミスしないで連続で何回跳べるかに挑戦したり、制限時間内に何回跳べるかにチャレンジしましょう。それがモチベーションになって、チームワークも高まるでしょう。

制限時間内に跳ぶ回数を競うときは、なわを回すスピードを上げなければなりません。これを「ピッチを上げる」といいます。ここでターナーの役割が重要になってきます。そこでピッチを上げていくときの注意点をまとめておきます。

POINT 2　50cmくらいずつ距離をせばめていく

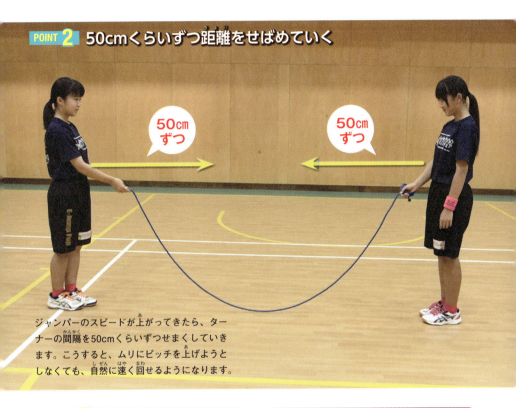

50cm
ずつ

50cm
ずつ

ジャンパーのスピードが上がってきたら、ターナーの間隔を50cmくらいずつせまくしていきます。こうすると、ムリにピッチを上げようとしなくても、自然に速く回せるようになります。

ココ を CHECK！

①ターナーの間隔を広げて、
　ジャンパーのスピードを上げよう
②ターナーの間隔を少しずつ
　せまくしよう
③ターナーの役割が重要になる

POINT! ワンポイントアドバイス！

幅を広げる練習は、
記録を伸ばす第一歩なので
速い動きで
「入って、跳んで、抜ける」
ができれば記録は伸びる！

練習場所の選び方

駐車場や道路で練習するときは注意が必要！

　練習場所選びはとても大切です。一番よいのはもちろん体育館です。平板で足元が安定しているので、きちんとしたシューズを用意すれば滑りません。つまずいて転ぶ心配もありません。走る、跳ぶという動作も正確におこなうことができます。そこで本書でも体育館で練習することを前提にして解説しています。

　もし、子どもたちだけで練習したいというとき、体育館がつかえないこともあるでしょう。土の運動場ならあまり気にしなくても大丈夫です。しかし、駐車場などアスファルトで練習するときは少し注意が必要です。アスファルトは平らできれいに見えても、よく見ると小石などが結構落ちているものです。高速でなわを回すと、その小石が飛び散って、周囲にあるものを傷つけてしまうことがあるのです。こういう場所で練習するときは、ロープが当たるところをほうきで掃いてからにしましょう。そして車や歩行者に注意することが必要です。

Part 2

高速８の字跳びに挑戦！
ジャンパー編

ジャンプの種類①またぎ跳び

ピッチを上げていくために片足踏みきりをマスターする

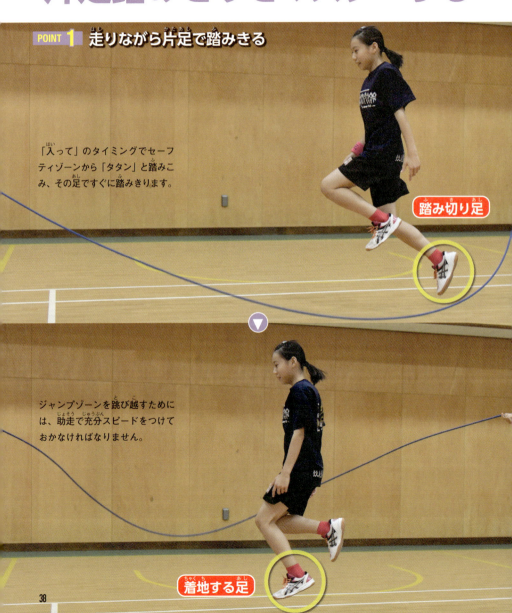

POINT 1　走りながら片足で踏みきる

「入って」のタイミングでセーフティゾーンから「タタン」と踏みこみ、その足ですぐに踏みきります。

踏み切り足

ジャンプゾーンを跳び越すためには、助走で充分スピードをつけておかなければなりません。

着地する足

またぎ跳びから練習しよう

ジャンプには両足踏みきりと片足踏みきりがあります。ジャンプの軌道の項目（コツ10）で説明しましたが、両足踏みきりだと力の向きが、前→上→下→前とコロコロと変化するためスピードが上げられません。ピッチを上げていくためにも、片足踏みきりをマスターしましょう。

片足踏みきりのジャンプは、踏みきり足と着地足のちがいによって、またぎ跳びとケンケン跳びにわけられます。まずは踏みきり足と着地足が反対になる、またぎ跳びから解説していきます。

POINT 2

反対の足で
着地して抜ける

踏みきった足とは反対の足で着地します。足の動きをあまり大きくしないのがコツです。前に向かって跳んでいるので、スピードを落とさずに対角線上のセーフティゾーンへ抜けられます。

POINT 3

姿勢は「ピン」で
ヒザも曲げすぎない

またぐことを意識しすぎるとヒザが曲がってしまいます。ジャンプの基本である余計な動きをしないように。片足跳びでも姿勢は「ピン」、ヒザは曲げすぎないという点に注意しましょう。

ココ を CHECK！

① 「入って」で「タタン」と
　踏みこもう
②前に低く跳んでスピードを
　落とさない
③背筋は「ピン」
　腕はカラダに「ピタ」

POINT! ワンポイントアドバイス！

またぎ跳びは、姿勢を「ピン」
とすることが一番大事！
ジャンプ中にぜったいに
ねこ背にならないように
気をつけよう！

ジャンプの種類②ケンケン跳び

空中姿勢が安定するため高速跳びに向いている

動画をチェック！

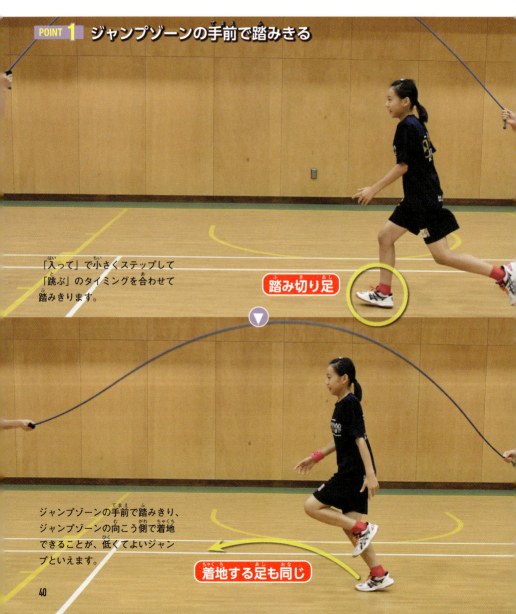

POINT 1 ジャンプゾーンの手前で踏みきる

「入って」で小さくステップして「跳ぶ」のタイミングを合わせて踏みきります。

踏み切り足

ジャンプゾーンの手前で踏みきり、ジャンプゾーンの向こう側で着地できることが、低くてよいジャンプといえます。

着地する足も同じ

踏みきりと着地の足が同じケンケン跳びを練習

　片足踏みきりジャンプの2つめがケンケン跳びです。踏みきり足と同じ足で着地するため、動作を小さくしやすく空中姿勢が安定します。高速跳びに向いているレベルの高い跳び方です。

　「入って」で、タタンとこまかく踏みだして、「跳ぶ」で踏みきります。このとき跳び上がるというよりも、踏みきった足をかるく引き上げることで低くてするどいジャンプになります。また、着地したときにもタタンと小さくステップすると抜けるスピードも上がります。

POINT **2**

踏みきった足を
かるく引き上げる

　「跳ぶ」というと跳び上がることをイメージしますが、実際は踏みきった足をかるく引き上げて、空中を滑るようなジャンプが理想です。空中の動作も最小限におさえることができます。

POINT **3**

タタンのリズムで
着地して抜ける

　踏みきり足をかるく引き上げる跳びかたをすると、着地でその足をもどすだけで床に足がとどきます。着地の瞬間に、タタンとこまかくステップして、すみやかになわを抜けるようにします。

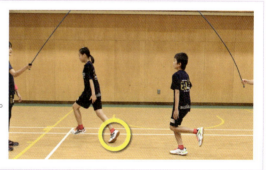

ココ を CHECK!

①踏みきり足と着地足が
　同じジャンプを身につけよう
②踏みきった足を
　かるく引き上げよう
③高速に向いた跳びかた

POINT **1** ワンポイントアドバイス!

「入って」のタイミングで
加速することも大切で、
思いきってなわに入り、
ギネス記録をねらえる
ジャンパーをめざそう!

「入って」のときのなわの位置

目でなわを追うのではなく
リズムでタイミングをとる

POINT 1 低速ではなわの音を聞いて「入って」もOK

タン

なわをゆっくり回しているうちは、床をたたく「タン」という音を聞いてから、「入って」の動作をはじめても充分に間にあいます。このレベルではなわを目でよくみることも大切です。

POINT 3

顔を動かさず
目線だけでなわを見る

低速や中速ではなわをよく見ることも大切ですが、このとき顔を動かすのではなく、目線だけで見るようにします。顔を上下させてしまうと、背中が丸まるなど姿勢が悪くなってしまいます。

なわのテンポをカラダで感じる

低速のうちは、なわをよく見て、なわが床をたたいてから「入って」をはじめても間にあいました。しかし、なわが速くなってくるとそれでは間にあわなくなってきます。中速なら、なわが目の前を通過したとき。高速になると、なわがまだ頭の上にあ

るうちから「入って」の動作をはじめなければ、ジャンプゾーンに到達する前に引っかかってしまいます。このためスピードが上がるほど、目で見るよりもなわのテンポとリズムで、タイミングをつかむことが大切になります。

POINT 2 高速では目でなわを追っては間にあわない

なわが速くなってくると、まだなわが頭上にあるうちに動作をはじめて、床についたときには足を踏みだしていなければ間にあいません。こうなると目でなわを確認するわけにはいきません。

ココ を CHECK!

①なわの速さで「入って」のタイミングが変わる
②高速ではなわをみるよりもテンポを感じることが大切
③なわを見るときは顔を動かさない

POINT! ワンポイントアドバイス!

ジャンパーがなわに「入って」のタイミングでなわが床をたたくと、入るタイミングはバッチリ!

ジャンパーの順番

並びは背の順を基本に
相性や能力を見て決める

POINT 1 背の順が基本だが先頭は上手な人にする

はじめのうちは背の順に並べばよいでしょう。
ただし、このときも先頭だけは一番上手な人
にすると、むずかしいスタートとラストとの
すれちがいがスムーズにいきます。

POINT 3

能力や相性で
順番を入れかえる

前後の人同士は「入って」のタイ
ミングの取りかたなど、目には見
えない部分で影響しあっています。
ジャンプはうまいのに、なぜかミ
スが多いときは、順番を入れかえ
ると改善することがあります。

大きい人が前にいるとなわが見づらい

ジャンパーは小さい人から背の順で並ぶのが基本です。理由は後ろが小さいとなわが見えにくくなるためです。ただし、単純に背の順に並べばベストかというとそう単純なものではありません。練習をしていくうちに、相性や能力などでうまくいかなくなることがあります。

たとえば、入るタイミングが独特な人がいると、後ろの人もつられてタイミングがずれてしまうのです。そんなときは、ほかの人に惑わされない人を後ろに入れるなど、工夫が必要になります。

POINT 2 前が高くなるときは頭1つ分までにする

順番を入れ替えていくと、前の人の背が高くなることもあるでしょう。そんなときは頭1つ分までにします。後ろの子は少し見えにくくなりますが、肩ごしになわを見ることができます。

ココ を CHECK!

①ジャンパーは基本的に
　背の順で並ぼう
②相性によって順番を入れかえよう
③前後の身長差は
　頭1つ分までにしよう

POINT! ワンポイントアドバイス!

一定の幅で跳べているか、
どこかで幅がバラバラに
なっていないかなど、
チームが跳ぶのを
横から見てもらおう!

ジャンパーの役割分担

トップとラストの人選次第でうまくいくかが決まる！

POINT 1 すれちがいの恐怖を克服することがカギ！

ラスト

トップ

正面衝突しそうな角度ですれちがうトップとラスト。とくにラストはジャンプ中のため、よけられないという怖さも感じます。

ジャンプの能力はもちろんですが、恐怖心を克服する気持ちの強さがトップとラストには必要です。

トップ

ラスト

タイミングをあわせられる高い能力が必要

　ジャンパーの中でトップとラストは特別な存在です。ここに誰を入れるかでチーム力が大きく変わります。

　トップはスタートで最初の1回めを跳びます。動きはじめてからも走る目標物はなく、2回め以降はラストの次に跳びます。

　一番のちがいは、ラストとすれちがうように入らなければならないことです。ラストは、前を追うのはほかの人と同じですが、トップが斜め前から入ってくるのが見えます。ぶつかるかもしれないという恐怖心を克服しなければなりません。

ジャンパーの能力の高い人を選びたい

トップとラストのすれちがいは、ちょっとタイミングがずれただけでミスになってしまいます。そこでこの2つのポジションには、ジャンパーの中で能力が高い2人を選ぶのがよいでしょう。

身がるさや柔軟性も必要

ちょっとしたタイミングのずれで肩と肩がぶつかったりしますし、ラストがなわに引っかかったときにぶつかることもあります。ケガをしないためにも、身がるさや柔軟性があると安心です。

ココ を CHECK!

① トップとラストは
　特別なポジション
② 能力の高い人を入れるとよい
③ すれちがいは恐怖心との戦い

POINT 1 ワンポイントアドバイス!

チームのなかで
ジャンパーとしての
能力が高い人を
トップとラストにすると
無限ループが生まれる!

動画をチェック！

トップの入りかたと跳びかた

8の字のコースを決める
感覚的な能力が必要だ！

POINT 1 セーフティゾーンの2足分外から入る

すれちがいでラストの背中側に入ると、すれちがいがスムーズにできます。そのためにセーフティゾーンよりも2足分ほど外側から入ります。助走が短くなるので加速力が求められます。

セーフティゾーン

POINT 3

スタートのタイミングを順を追って練習する

トップはスタートの1回めのなわを跳ぶという役割があります。最初は3回なわを空回ししてから入る練習をしましょう。レベルが上がってきたら1回めから入る練習にステップアップします。

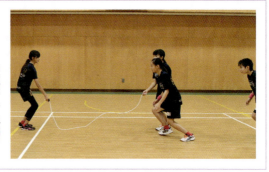

リズム感のよい人でないとトップは務まらない

コツ18で説明しましたが、トップにはいくつか特別な役割があります。①スタートで1回めのなわを跳ぶこと。②前に目標とする人がいないこと。③ラストとすれちがうように入ること。そこで、チームの中でもとくにリズム感がよくて、なわとびが上手な人から選ぶようにします。

また、精神的にも強くて、リーダーシップを発揮できる人ならベストです。

8の字のコースを決めるのもトップです。つねに同じコースをつくる感覚的な能力が優れていることも必要です。

POINT 2 後ろから3人めが跳んでいるとき「サン」を開始

後ろから3人目

サン

トップは前に目標物がありません。ほかの人は、3人前の人を目安に「サン」からカウントしますが、トップは向かい側にいる最後から3人めが、跳んでいるときに「サン」のカウントをはじめます。

ココ を CHECK!

①セーフティゾーンの
　2足分外から入ろう
②カウントをはじめる目標物が
　向かいの人になる
③スタートをターナーと練習しよう

POINT! ワンポイントアドバイス!

ピッチが上がってきたとき
トップのカウント方法を、
ラストから4人めから
「ハイ、サン、ニ…」
としてもよい!

ラストの入りかたと跳びかた

最短距離を正確に跳んで
すばやく抜ける

POINT 1 セーフティゾーンから最短距離を進む

ラスト

トップ

列の真ん中を跳ぶ人なら少しコースが
ずれても問題ありませんが、ラストは
コースがずれるとトップのジャマにな
るので注意します。

セーフティゾーンから対角線へ最短距
離を進みましょう。そして、すばやく
抜けることが大切です。

トップ

ラスト

トップのジャマにならない進路をとる

ラストは跳んでいるうちに、トップが視界に入ってきます。ピッチが速くなるほどすごいスピードで入ってきます。しかもこのとき、自分は空中にいるためどうしようもありません。ぶつかったらケガをしそうだという恐怖心を克服しなければなりません。

ぶつかりそうだから前で跳ぼうとしたり、自分のジャンプのタイミングを変えたりするとミスが起きやすくなります。よけようとするのではなく、最短距離を正確に跳んですばやく抜けて、トップのジャマにならないようにすることが大事です。

POINT 2

ぶつかりそうな恐怖心を克服する

自分が空中にいるときに、トップがスピードに乗ってなわに入ってきます。ぶつかるかもしれないという怖さを克服しなければなりません。ジャンプの能力と気持ちの強い人が向いているポジションです。

POINT 3

跳ぶタイミングは変えない

トップのジャマをしないために、少しでも前で跳ぼうとすると、自分がなわに引っかかるリスクが高くなります。自分のジャンプは変えずに、最短距離を進むことに集中しましょう。

ココ を CHECK!

①トップとのすれちがいが一番の課題になる
②最短距離をすばやく抜けよう
③気持ちの強さとジャンプ能力をもっているのが理想のラスト

POINT! ワンポイントアドバイス!

ラストは気持ちが強く「サン、ニ、入って、跳ぶ」のリズムを正確に表現できるジャンパーが適任!

８の字のコース取り

前の人は大きな８の字。
後ろの人は小さく回る

POINT 1　トップは大きく回りこむ

トップはジャンプゾーンを抜けたら対角線をとおって、すみやかになわからはなれます。これが遅いと、後ろはすぐに詰まってしまいます。そして後ろを引っぱりながら大きく回りこみます。

POINT 3

渋滞の原理が発生する

ジャンプゾーンを抜けたところで、車の渋滞のような現象が起きます。これは走るよりもジャンプしているときのスピードが速いため、前が詰まっているように感じるからです。

列の渋滞をさけるため回りかたを調整する

何セットか続けて跳んでいると、列の後ろの人は前が詰まっているように感じます。これは、走るよりもジャンプのほうが速いため、ジャンプゾーンから抜けたところで渋滞のような現象が起きるためです。だからといって走るスピードを落としてしまう

と、今度はなわに入るタイミングが間にあわなくなってしまいます。これは、列の前方の人はほとんど感じませんが、後ろにいくほど強く感じます。そこで、前の人は8の字を大きくえがき、後ろにいくほど小さくするどく回りこむようにします。

後ろにいくほど
小さく鋭く回る

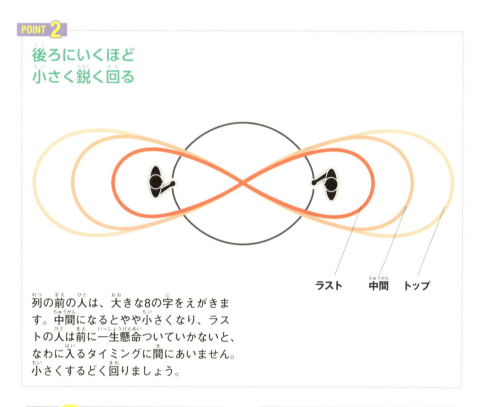

ラスト　中間　トップ

列の前の人は、大きな8の字をえがきます。中間になるとやや小さくなり、ラストの人は前に一生懸命ついていかないと、なわに入るタイミングに間にあいません。小さくするどく回りましょう。

ジャンパー同士の前後の間隔

ジャンパー同士は
前へならえの距離感を保つ

POINT 1 スタートの直前に前へならえをする

ジャンパー同士は前へならえをしたときの間隔が、せまくも遠くもなく、ちょうどよいです。スタートする直前に確認するようにしましょう。競技中は、この距離を保つように走るのが基本です。

POINT 3

肩を組んで
結束を高める

前後の間隔をそろえることと、確認することが目的なので、普通の前へならえでもよいのですが、肩を組むことで、さらに気合が加わります。チームの結束を高める効果もあるのでおすすめです。

間隔をせまくしすぎると前が詰まる

　ピッチが上がってきたときのジャンパー同士の間隔は、前へならえの距離が理想です。スタートの前に確認して、その距離を保つようにします。ピッチを上げるためには、前後の間隔をせまくして、次々に跳んだほうがよいと思われがちですが、実際はターナーが回すよりも速く跳ぶことはできません。せまくしすぎると前が詰まってしまい、セーフティゾーンで順番を待つという現象が起きます。これでは、一度立ち止まってから再加速するため、逆にスピードが落ちてしまうのです。

POINT 2 手を伸ばして間隔を確認しながら走る

　競技に集中すると間隔が詰まってしまうという人は、走るときに手を伸ばして確認しながら動きましょう。この場合は、肩に手は乗せず、かるく伸ばして距離だけはかればよいです。

ココ を CHECK!

①ジャンパー同士は
　前へならえの間隔で
②スタート直前に前へならえで
　そろえよう
③競技中も確認しよう

POINT1 ワンポイントアドバイス!

高速になるほど
前後の幅の詰めすぎが
つっかえの原因なので、
手を伸ばした幅を
保つようにしよう!

ジャンパーの人数の考えかた

ジャンパーの数は 4の倍数が理想的だ

POINT 1 12人以外の4の倍数は高速跳びを維持しづらい

4の倍数と考えると、8人や16人や20人もあります。ただ8人では1人が跳ぶ回数がふえて負担が増します。16人以上では人数が多くなり、高いレベルを維持しづらくなります。

POINT 3

1回めのジャンプは 何番めかで変わる

1回めのジャンプは、自分がトップから何番めかによってカウント数が変わってきます。図表のように、5番めなら4カウントしてから「サン、ニ」です。これ以降も図表を参考にして計算してみましょう。

選手	カウント	「入って」までのカウント
トップ	せーの、サン、ニ、入って、跳ぶ	3
2番目	せーの、ハイ、サン、ニ、入って、跳ぶ	4
3番目	せーの、ハイ、ハイ、サン、ニ、入って、跳ぶ	5
4番目	せーの、ハイ、ハイ、ハイ、サン、ニ、入って、跳ぶ	6
5番目	せーの、1、2、3、4、サン、ニ、入って、跳ぶ	7

同じタイミングで跳びつづけられる人数

　ギネスの規定では、1チームの人数はターナーが2人、ジャンパーが12人以上となっています。12人は4の倍数ですが、これがとても重要なポイントになります。3人前から「サン、二、入って、跳ぶ」の4カウントで数えるため、人数が4の倍数なら何回跳んでもずれがなく、同じタイミングで跳ぶことができるのです。

　ただし、学校のクラスでチャレンジするときの人数は、4の倍数でそろわないことのほうが多いです。そのときの対処法はコツ24で解説します。

4カウントがベストなしくみ

　図を見るとわかるように、12人なら2回め以降は待っている間に「1、2、3、4、1、2、3、4」と8カウントしたあとで、「サン、二、入って、跳ぶ」で、ピタリ12です。端数になるとこれがずれてしまいます。

ココ を CHECK!

①ジャンパーの人数は
　4の倍数が理想
②人数が少ないと負担がふえる
③人数が増えると
　レベルがバラける

POINT 1 ワンポイントアドバイス！

レベルが上がっても
基本は4拍のリズムなので
ここでもう一度
「サン、二、入って、跳ぶ」
を確認しよう！

人数が端数のときのチーム編成

4人1組にチームをくんで
うまい人を先頭にする

POINT 1　4人1組になり苦手な人を4番めに

端数がでるときには、4人1組のチームわけをします。跳ぶときは得意な人を先頭に、苦手な人が4番めに並びます。3人前がうまい人なので、4番めは入るタイミングをとりやすくなります。

4人1組

POINT 3

4人に1人が
リーダーを経験できる

チームの中に1人リーダーを選びますが、やる気や責任感を重視します。クラスの中でたくさんの人がリーダーを経験するため、それ以外の人への波及効果も期待できます。

能力がかたよらないようにチームをわける

　学校のクラスで長なわ跳びに取りくむとき、ほとんどの場合に端数がでます。端数がでた場合も4をベースに考えます。

　まず、4人1組にチームをくみ、それぞれにチームリーダーを選出します。チームリーダーはなわとびの能力よりも、やる気や責任感という部分を重視します。このとき、チーム内には得意な人も普通な人も苦手な人も、混在するようにすることが大切です。

　得意な人は苦手な人を教え、小さな単位でチームワークを育てるようにするのです。

POINT 2　全員で跳ぶときも4人1組を崩さない

クラス全体で練習するときには、このチーム単位は崩さずにつなげていきます。こうすると苦手な4人めの後ろにはうまい人が入るため、タイミングのずれも修正することができます。

ココ を CHECK!

①端数を残して4人組をつくろう
②各チームに
　チームリーダーを選出
③全体練習ではチームを
　崩さないようにしよう

POINT! ワンポイントアドバイス!

4人組のリーダーの
一番の役割は、
「大きな声をだすこと」
「ミスした人を、優しく
フォローすること」だ!

人数が端数のときのカウント方法

余りには上手な人を選び トップとラストに配置する

端数のときは3カウントの間に入れる

端数がでるのは1人から3人までですから、最大で3カウントの間に入れるとズレが調整できます。方法は①数字を入れる、②「ハイ」を入れる、③数字と「ハイ」を組みあわせるなどがあります。

選手	カウント	
4の倍数	1、2、3、4、サン、ニ、入って、跳ぶ	
4の倍数＋1人	1、2、3、4、5、サン、ニ、入って、跳ぶ	数字を入れる
4の倍数＋2人	1、2、3、4、ハイ、ハイ、サン、ニ、入って、跳ぶ	ハイの回数で合わせる
4の倍数＋3人	1、2、3、4、ハイ、1、2、サン、ニ、入って、跳ぶ	数字とハイを組み合わせる

2つのジャンプを 使って対処する

カウントが偶数でケンケン跳びなら、踏みきり足が左右交互に回ってきます。対処方法は途中でケンケンを入れたり、ケンケン跳びと、またぎ跳びを使いわけるなどがあります。どちらもできると便利です。

端数のカウントは2音節がベスト

端数がでる人数で4人組のチームをつくったときは、上手な人を最後に余らせておきましょう。これはチームとしてつなげたときに、余った人をトップとラストに配置できるからです。また、カウントは4の倍数＋1人なら途中に1カウント、＋2人なら2カウント、＋3人なら3カウント入れます。

端数のカウント方法はやりやすいものでよいのですが、できれば2音節がベストです。あまり長いとリズムがズレてしまうからです。図表を参考にして、自分なりのカウントの仕方を考えましょう。

POINT 2　端数のときはうまい子を余らせる

端数がでるときはうまい子を余らせます。これはチームをつなげて全体で跳ぶときに前後に配置するためです。コツ18で解説したように、トップとラストはとても重要な役割をはたします。

端数の組み方		
4の倍数	4人組を倍数分つくる	
4の倍数＋1人	1＋4人組	端数をトップにおく
4の倍数＋2人	1＋4人組＋1人	端数をトップとラストに1人ずつおく
4の倍数＋3人	1＋4人組＋2人	端数をトップに1人、ラストに2人おく

ココ を CHECK！

①数字や「ハイ」を入れて
　調整しよう
②うまい子を端数にして
　前後に配置しよう
③踏みきり足が変わるときの対処法

POINT! ワンポイントアドバイス！

端数で、トップとラストに
選ばれる能力があれば、
チームリーダーを志願して
前と後ろから元気に
声を出していこう！

ジャンパーの能力を高める①

ターナー側の足で「入って」直線的に跳ぶ

POINT 1 ターナー側の足で入り最短距離を走る

ターナー側の足で入れば、自然にターナーのギリギリをとおれます。

そこから反対のセーフティゾーンを直線で結べば、それが最短距離のルートです。
逆足だとふくらみ、遠回りになることがありますので注意しましょう。

ターナーの近くをとおる

ジャンパーのスキルをもっと高めたいというときに、こだわりたいのが「入って」のときの足です。ずばり、ターナー側の足で「入って」、反対の足で踏みきってなわを跳ぶのです。ターナー側の足の近くをとおせば、カラダも自然にターナーの近くをとおることになるからです。そこから直線的にジャンプゾーンを結べば、対角線まで最短距離で抜けられます。

これはあくまでも上級者向けのテクニックですが、より技術を高めていくためにもチャレンジしてみましょう。

POINT 2

逆足だとターナーと接触の危険がある

ピッチが上がるほど8の字の急カーブをえがいてセーフティゾーンへ入ってくるため、カラダはターナー側にたおれています。そこで、反対の足で入るとターナーと肩が接触する危険がまします。

POINT 3

両足どちらでも踏みきれるように！

ジャンパーはターナーの右側と左側から交互に入ります。このためターナー側の足で入るにはどちらの足でも踏みきれなければなりません。両足で踏みきりができるようになるのがベストです。

ココ を CHECK！

① 「入って」はターナー側の足で
② セーフティゾーンから直線的に抜けられる
③ 反対の足だとカーブでふくらみやすいので気をつけよう

POINT1 ワンポイントアドバイス！

「入って」のときの姿勢は「ピン」で、カラダを前にたおしたり、ターナーに近いほうの肩から入ったりしないこと！

ジャンパーの能力を高める②

○回転での入り方を
重点的に練習する

POINT 1 ターナーの左から入る

ターナー

ターナーの左から入って、そのままUターンします。すると入ったほうのターナーを回ることになります。上からみると時計回りでターナーの左側にもどってきているのがわかります。

POINT 3

苦手だと感じても
練習で克服しよう

ターナーが右利き同士だと、どちらかが回しにくいと感じることがあります。またジャンパーが入りにくいと感じることもあります。感じかたに個人差はありますが、苦手だと感じたら練習で克服しましょう。

利き足、利き手があり苦手がでるのはあたり前

　ジャンパーは、ターナーの左右から交互に入ります。人によって右側からは入りやすいけど、左側からは苦手だなと感じる人がいたり、その逆に感じたりすることがあります。これは利き足や利き手、または利き目といった、さまざまな要素が関係しています。

　多くの場合、利き手側にターナーがいるほうが入りやすいと感じるようです。苦手なことは克服しましょう。

　ここで紹介する○回転練習は、どちらか片方だけを重点的に練習できます。

POINT **2**　**ターナーの右から入る**

ターナー

ターナーの右から入るのを重点的に練習するパターンです。左からと同様にUターンして、入ったほうのターナーを回って元の位置にもどってきます。こちらは上からみると反時計回りです。

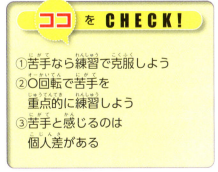

ココ を CHECK!

①苦手なら練習で克服しよう

②○回転で苦手を
　重点的に練習しよう

③苦手と感じるのは
　個人差がある

POINT**1** **ワンポイントアドバイス!**

○回転の練習でも
「サン、ニ、入って、跳ぶ」
の4拍がとても大切なので、
元気に声をだして
練習しよう!

なわとびの種類

レベルや年齢で
なわを変えて練習しよう！

　長なわとび用のなわには、さまざまな種類があります。ここではレベルに応じたなわの選びかたを紹介します。

　初心者が、低速でなわとびの基本からとり組んでいきたいというなら、長なわ用の太いなわか、ビーズロープを使ってみましょう。これは床にあたると大きな音がするので、タイミングをとりやすいです。ただし高速になると、音を聞いてから動きはじめたのでは間に合わないので、かえってむずかしくなるという欠点があります。

　幼稚園児くらいの小さな子どもなら、普通の短なわでも代用できます。特別に長なわを用意しなくてもよいでしょう。

　低速から中速までは、なわの回転をよく見て跳びます。ですので、色がついたダブルダッチ用ロープがおすすめです。やや太くターナーももちやすいでしょう。

　中速から高速になると、太めのビニールロープがおすすめです。これは引っぱると伸びるのが特徴で、引っかかって転んでも大きなケガになりにくいのです。

Part 3

高速８の字跳びに挑戦！
ターナー編

ターナーの特徴

ジャンプが得意で
運動能力が高い人が務める

POINT 1 リズムを決めてリーダーシップを発揮！

ターナー

ターナー

なわのリズムを決めるのはジャンパーと思いがちですが、じつはターナーです。つねに声をだして、ジャンパーをはげましているのもターナーです。ターナーがリーダーシップを発揮できるチームは強くなります。

POINT 3

気配りやはげまし、
気持ちの強さを持つ

ターナーが力を発揮できなければよい記録はだせません。どんなときでも力をだしきる精神的な強さが必要です。また苦手な人をロープリカバリー（コツ31）で助けるという気配りも大切な仕事です。

ターナーはスターポジションである

　一見するとなわを回しているだけのターナーですが、じつは目には見えないテクニックが満載で、とてもおもしろいポジションです。実際にうまいチームほど、ジャンプが得意で、チーム内でも運動能力の高い人がターナーを務めます。

　しかし、ほとんどの子どもたちは、なわを回すよりも跳びたいと感じます。走ったり跳んだりと動きもはげしく、能力の高い人ほどそういう傾向があります。そこで、ターナーがスターポジションであるという理由を解説します。

POINT 2 必要な能力はリズム感！

ターナーにはリズム感が必要です。ピッチがバラバラではジャンパーは安心して入れません。そういう意味ではチームのなかでもジャンプが得意な人がターナーをやることでよい記録がねらえます。

ココ を CHECK!

①チーム内で能力の
　高い人が務めよう
②リズム感は必須の能力
③精神的なタフさや
　気配りも必要

POINT! ワンポイントアドバイス！

ターナーに選ばれるのは
とても栄誉なことなので、
チームの中心だという
意識や自覚をもって
活躍できる選手をめざそう！

ターナーの姿勢

セーフティゾーンを確保するため半身になる

POINT 1 半身の姿勢でジャンパーを助ける

腕を少し前にだしてなわを持って、カラダの横にセーフティゾーンを確保します。

半身になるとさらに効果的です。この空間をつくることでジャンパーがなわに入りやすくなります。

POINT 3

髪が広がらないよう後ろでしばる

ターナーはなわを跳びませんが、髪の毛はジャンパーと同じようにしばりましょう。横に広がっているとジャンパーの視界をさえぎってしまうことがあります。後ろが一番ジャマになりません。

ヒジを曲げおなかの前でなわをかまえる

　ターナーの横にはセーフティゾーンという大切な空間ができます。正しい姿勢でこの空間を確保しましょう。

　まずヒジを曲げて、おなかの前あたりでかまえます。こうすると、なわとカラダの間にスキ間ができ、セーフティゾーンがつくりだせます。このとき、かるく半身になると効率よく空間が確保できます。

　ジャンパーの気持ちを理解するために、ときどきジャンパーと一緒に跳ぶのも大切です。シューズなどはジャンパーと同じタイプをそろえましょう。

1人だけが なわを手に巻く

距離を調整して余ったなわは、手に巻きつけます。このとき1人は巻かずに持つようにします。もしジャンパーが引っかかったときに巻いていないほうの手を放せば、転んでケガをすることがなくなります。

ココ を CHECK!

①セーフティゾーンをつくろう
②余ったなわは1人が手に巻こう
③ジャンパーの視界を
　さえぎらないようにしよう

POINT1 ワンポイントアドバイス!

ジャンパーのタイミングが大きくズレるなどして引っかかりそうなら、ターナーは思いきって手を放してしまおう!

動画をチェック！

利き手と回す方向の関係

なわを内に回すのが
得意かどうかを見極める

POINT 1 右利きが時計回りで回すのが外回し

なわを持ったつもりでかるく手首を回してみましょう。ほとんどの人が上から手の甲の側に回す、いわゆる外回しがやりやすいと感じると思います。これが基本的な回す方向です。

POINT 3

重みのあるタオルで
回す練習をする

なかには内回しがやりやすいと感じる人もいて、同じ利き手同士のターナーができます。ターナーは1人でも練習できます。ちょっと重みのあるバスタオルなどを2つ折りにして回す練習をしましょう。

右利きと左利きがベストな組み合わせ

一般的になわを回しやすいのは外回しです。このため同じ利き手同士だと、ターナーが向かいあったときに逆になってしまいます。ですので、右利きと左利きがチーム内にいれば、とてもよいパートナーになります。

実際は、左利きの人はあまり多くありません。しかもターナーの適性がある人となると、さらに数は少なくなります。右利き同士の組み合わせを基本と考え、内回しが得意な人、1人でも努力できる人という点から選出するのがよいでしょう。

POINT 2

右利きと左利きが理想的な組み合わせ

回しやすい方向が同じなら、右利きと左利きがベストマッチです。ただし左利きは少なく、さらにリズム感を求めるとなるとハードルが高くなります。これがターナーのむずかしいところです。

右利き

左利き

ココ を CHECK!

①なわを内に回すのが
　得意か不得意かを確認しよう
②右利きと左利きがベストマッチ
③バスタオルを持って練習しよう

POINT1 ワンポイントアドバイス!

ターナー候補になったら
いろいろな人となわを
回してみて、
相性や利き手による
ベストなペアを見つけよう!

動画をチェック！

ロープリカバリー

なわを「入れる」と「抜く」技術で助ける

POINT 1　ジャンパーの間になわを入れる

「入って」のジャンパーの背中と、次のジャンパーの前になわを入れるテクニックです。

入るのがおくれていたら少し大きめに回したり、間隔がせまかったら、なわを正確にコントロールしましょう。

74

ジャンパーのミスを減らす

ターナーはロープリカバリーというテクニックで、ジャンパーを助けることができます。「入って」のタイミングがおくれているジャンパーがいたら、なわの回転をおくらせたり、逆にジャンパー同士の間隔がせまかったら、正確にジャンパーの間になわを落とすのです。「抜ける」側のターナーも、なわを意識的に「抜く」ことでジャンパーのミスを減らすことができます。

ターナーにリズム感とジャンプ技術の高さが大切なのは、ロープリカバリーに対応できるためでもあります。

POINT 2

後ろ足にかからないように「抜く」

「抜ける」のターナー側では、ジャンパーの足に引っかからないように、なわを「抜く」というテクニックがあります。手首を使い、なわを小さく引き上げるようにするとうまくいきます。

POINT 3

ロープリカバリーでジャンパーをサポート

「入れる」「抜く」というテクニックをロープリカバリーといいます。おくれているジャンパーがいたら、なわを大きく回しておくらせたり、逆に速めたりすることでジャンパーをサポートできます。

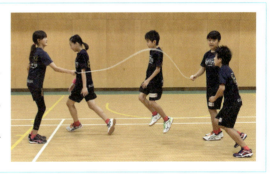

ココ を CHECK!

① 「入って」側のターナーがなわを「入れる」
② 「抜ける」側のターナーがなわを「抜く」
③ なわをコントロールしてサポートしよう

POINT! ワンポイントアドバイス!

ロープリカバリー後はピッチがズレてしまうので、リズムは崩さないようにすみやかに元の安定したピッチに戻そう!

カラダ全体でリズムをきざむ

ヒザや足首をかるく曲げて全身をつかってなわを回す

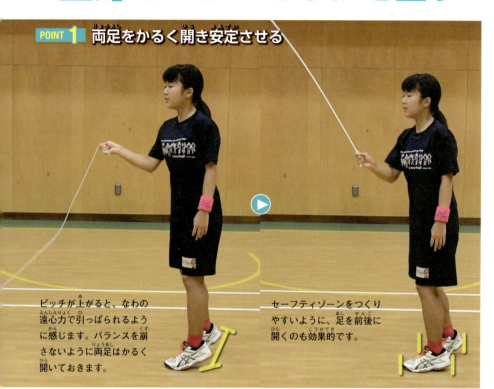

POINT 1 両足をかるく開き安定させる

ピッチが上がると、なわの遠心力で引っぱられるように感じます。バランスを崩さないように両足はかるく開いておきます。

セーフティゾーンをつくりやすいように、足を前後に開くのも効果的です。

POINT 3

ヒザと足首をかるく曲げ伸ばし

なわが上下に動くのに合わせて、重心も上下に移動します。ヒザと足首をかるく曲げ伸ばし、弾むようにするとリズムを取りやすくなります。

足をかるく開くと安定する

ターナーは、みた目以上にハードなポジションです。ピッチが上がるほど、なわの遠心力で腕が引っぱられ、がまんしながらテンポをきざまなければなりません。

なわに負けないように、両足をかるく開いてカラダを安定させます。足を前後にすると半身の姿勢になりやすくなります。また、回すときにはヒザや足首をかるく曲げ伸ばしをして、全身をつかいます。なわが床にふれている時間を短くするようなイメージで、なわを引き上げるように回すと勢いがつきます。

POINT 2　下にアクセントをつけて引き上げる

なわを上から下に落とすときにアクセントをつけて回します。

なわが床についている時間を短くして、カラダ全体をつかって、一瞬で力強く引き上げるようなイメージで回します。

ココ を CHECK!

①足を開いてカラダを安定させよう
②ヒザと足首を曲げ伸ばしして
　リズムを取ろう
③なわを引き上げるような
　イメージで回そう

POINT! ワンポイントアドバイス!

ターナーは
なわとカラダが
一体化するような
感覚になるまで
練習することが大切!

動画をチェック！

ターナーが1歩動いて走るコースをつくる

POINT 1 ジャンパーがタテに速く走れる

奥のターナーが左に、手前のターナーが右に寄っています。

ターナーがななめになるようなポジションをとっているので、ジャンパーはタテに直線的に走ることができます。

POINT 3

半身になると肩幅がジャマにならない

ターナーがまっすぐ前を向いていると、肩幅の分だけコースをふさいでしまいます。そこでジャンパーがとおるコースに向かって半身になると、肩幅がジャマにならずにすみます。

速いピッチに対応できるテクニック

ピッチが上がり、ジャンパーのスピードが上がってくると、横に大きくふくらんだ8の字をえがいて走ると間にあわなくなります。そこでジャンパーが直線的に走れるように、ターナーが動いてコースをつくるのがターナームーブです。

最後のジャンパーが抜けたら、ターナーは抜けた側へ1歩移動します。すると今度入る側があき、そこへジャンパーが走りこめるのです。同時に反対側のターナーは、抜ける側とは反対へ移動して、コースをあけるようにします。

POINT 2 抜けたら横へ1歩移動する

奥のターナーはラストが入ったら右へ1歩移動します。

ジャンパーがタテに走るコースができます。

手前のターナーはラストのジャンパーが抜けたら左へ1歩移動します。

ココ を CHECK!

①動いてジャンパーのコースを空けよう
②ジャンパーがタテに速く走れるテクニックだよ
③半身になるとより効果的

POINT1 ワンポイントアドバイス!

ピッチ200以上をめざすなら、ターナーは動かずジャンパーの「入って」のスピードを上げていこう!

動画をチェック！

かけ声をかける

テンポを合わせるため「ハイ、ハイ！」と発声！

POINT 1 「ハイ」の「イ」のときになわが床にある

ハイ、ハイ

「ハイ」は短い言葉ですが、それでも2音節あります。そこで、なわが床についたときに「ハイ」の「イ」で合わせるとよいでしょう。このときジャンパーは空中にいるように跳びます。

POINT 3

回数を目標にするなら数字のカウントでOK

数字でカウントすることにもメリットはあります。ミスをしないで連続何回跳べるかといった回数を目標にするときです。「100回連続で跳べた」という記録は、子どもたちにとってうれしいものです。

2音節と短いためテンポがズレにくい

跳んでいる間は、全員がなわのテンポや走るスピードをあわせるために、かけ声をかけるようにします。全員で声をだすことは、気合を入れる、モチベーションを高める、という効果もあります。テンポをきざめるものならどんなものでもよいのですが、

おすすめは「ハイ、ハイ」です。「ハイ、ハイ」は、2音節と短いためテンポがズレにくく、いつまでも変わらないので、自分の跳ぶ番が終わって、ふたたび声をだすときにも入りやすくなります。男女とも違和感がないことも理由のひとつです。

POINT 2 数字を数えると長さで合わない

ジュウイチ…

回数を数えることも1つの方法です。しかし「イチ」と「ジュウイチ」ではずいぶん長さがちがい、速くなるほど合わせづらくなってしまいます。「ジュウ」で「イチ」にもどるなら、数である意味は半減です。

なわを回すときの注意点

なわをまっすぐ回せば
ミスが減りテンポが崩れない

POINT 1
ロープリカバリーは
「入れる」が主導

なわは下に向かってアクセントをつけて回すため、ロープリカバリーは「入れる」側が主導権を持って回すと、なわは安定します。

▼

「抜く」側が強くしすぎると、なわはよれやすくなります。

主導権は「入って」側のターナーになる

　なわをまっすぐに保ったまま回さないと、ジャンパーの足や手に引っかかったり、テンポがバラバラになったりしてしまいます。

　ターナーにはロープリカバリー（コツ31）という、ジャンパーを助けるテクニックがあります。このとき、なわを「入れる」側よりも「抜く」側を強くしすぎると、なわがよれる原因になってしまいます。そこで主導権は「入れる」側が持つようにしましょう。

　また、なわの長さを状況に合わせて調節することが大切です。

POINT 2

なわの接地幅は高速なら20cm

なわが床に接する幅が広すぎると、床にぶつかったときの衝撃でよれてしまいます。ターナーの間隔が広い低速なら50cm。中速なら30cm。ターナー間が2mの高速なら、20cmくらいにします。

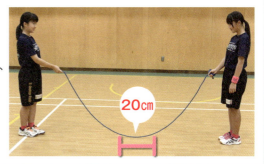

20cm

POINT 3

床にぶつかってなわがよれる

なわの接地幅が広すぎると、床にぶつかったときに余ったなわがはじかれて、よれてしまいます。ここをジャンパーが跳んでいるのですから、正確に跳んでいても足に引っかかってしまいます。

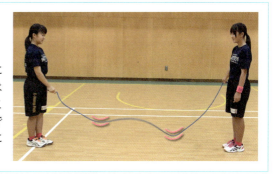

ココ を CHECK!

① 入る側のターナーが主導権を持とう

② ターナーの間隔に応じた接地幅を確認しよう

③ 接地幅が広いとなわがよれてしまうよ

POINT! ワンポイントアドバイス!

接地幅を気にしすぎると目線が下がってしまうため、ターナーはななめに構えて常にジャンパーとジャンパーの間を見よう!

記録挑戦のための道具

ピッチを上げるために
メトロノームを活用する！

ある程度上手に跳べるようになってくると、制限時間内に何回跳べるかという記録にチャレンジしてみたくなるものです。たとえば、3分間や1分間と時間を区切って、何回跳べるかという限界に挑むのです。ギネスもこの方式です。

これを突きつめていくと、ジャンパーがまだスピードを上げられると感じても、ターナーがそのピッチをキープできないということになるでしょう。記録を突破するためには、ターナーがどれだけピッチを上げられるかということがカベになってくるのです。

そこで役立つのが、歌や楽器を演奏するときに使うメトロノームです。1分間のピッチを正確に刻むため、長なわ8の字跳びにぴったりの道具です。

メトロノームは、振り子式やデジタル式があり、専用の道具として販売されています。あえてそれを購入しなくても、スマホのアプリにもあるので手軽に試してみてください。

Part 4

高速8の字跳びを
上達しよう！

ジャンパーの練習法①

イメージジャンプ

走るコースと跳ぶ幅を仮想練習する

① サン、ニ

スタートは「サン、ニ」と声をだして、「入って、跳ぶ」から動きはじめます。

②

「入って、跳ぶ」のときは、自分が走りだすコースに目線を向けます。

③

着地後にすばやく走りだせるように、カラダを前傾にする準備をしておきます。

④

着地したら「1、2、3、4、1、2、3、4」と声をだしながらグルッとターンして、反対方向から「サン、ニ、入って、跳ぶ」をはじめます。

やり方

①床に×印に長さ1mのテープをはる
②8の字のコースをイメージしながら走る
③テープの幅を跳び越して、ふたたび8の字のコースを走る

動画をチェック！

ジャンパーの練習法②

その場ステップ

カウント数とジャンプのタイミングを練習する

①
スタートはイメージジャンプと同じようにおこないます。

②
一緒にやっている仲間と「跳ぶ」のタイミングをそろえます。

③
着地から「1、2、3、4、1、2、3、4、サン、ニ、入って」と声と足をそろえてステップします。

④
「跳ぶ」のときの踏みきり足は、1回ごと左右交互になります。

やり方

①チームの人数によって決まる、カウント数を確認する（コツ25）
②その場で8の字を走るときの、カウント数をステップする
③「サン」「ニ」「入って」「跳ぶ」のタイミングで、その場でジャンプする

動画をチェック！

短なわとび

ケンケン跳びの ステップを身につける

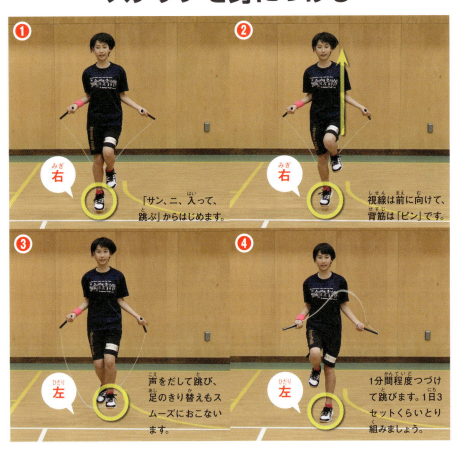

① 右
「サン、ニ、入って、跳ぶ」からはじめます。

② 右
視線は前に向けて、背筋は「ピン」です。

③ 左
声をだして跳び、足のきり替えもスムーズにおこないます。

④ 左
1分間程度つづけて跳びます。1日3セットくらいとり組みましょう。

やり方

①短なわとびを跳ぶ
②このときのステップは右、右、左、左
③ケンケン跳びのステップを身につける

動画をチェック！

ジャンパーの練習法④

サークル跳び

「入って」「跳ぶ」の
ステップをおぼえる

❶「サン、ニ、入って」と声をだしますが、「入っ」のときに赤いサークルにステップします。

❷つづいて2番目のサークルには「入って」の「て」のときステップします。

❸そして「跳ぶ」の「跳」のとき、青いサークルの足で踏みきります。

❹「跳ぶ」の「ぶ」のとき空中にいるようにします。

やり方
①アジリティトレーニングなどでつかうサークルを用意する。ない場合はテープなどで床に印をつけてもよい
②サークルを3つならべて、その先になわをおく
③「入っ（トン）て（トン）」「跳ぶ」のリズムでサークルを進む
④なわと跳び越える。回さなくてよい

ミスしたあとのリスタート①

「せーの」で「入って」
1回転目のなわを跳ぶ

POINT 1 ミスをしないことが前提になる

ギネス記録をねらうならミスはできませんが、クラス対抗戦をするといったときには1回ミスをしたからといってあきらめてはいけません。できるだけすばやく再開する方法を決めておきましょう。

POINT 3

スタートでも
1回転目から跳ぶ

トップがこのスタートができるようになれば、タイムアタックのスタートからつかえます。これなら後ろの人の待つカウントが短くなるため、よけいな「ハイ」を入れなくてすみます。

記録更新はすばやいリスタートがカギ

競技方法のひとつに、制限時間内に何回跳べるかというタイムアタックがあります。ギネスもそうです。この場合ミスをしたあとで、どれだけすばやくリスタートするかがカギになります。スタートでなわを空回りさせていると、そのぶんだけロスしてしまうのです。この時間をなくしましょう。そこで「せーの」で1人目が「入って」、1回転目のなわを跳ぶようにします。これがもっともロスが少ない方法です。そのためにはターナーと1人目の呼吸をあわせることが大切です。

POINT 2 1人目からのカウント数をおぼえておく

1人目が「せーの」で最初から「入って」しまえば、2人目は待ちカウントなしで「入って」いけます。コツ23の図表とくらべると、3人目以降も待ちカウントを3ずつ減らすことができます。

選手	カウント	「入って」までのカウント
トップ	せーの（入って）、跳ぶ	0
2番目	せーの、入って、跳ぶ	1
3番目	せーの、ニ、入って、跳ぶ	2
4番目	せーの、サン、ニ、入って、跳ぶ	3
5番目	せーの、ハイ、サン、ニ、入って、跳ぶ	4

ココ を CHECK！

①ロス時間を減らそう
②スタートの空回しのロスが大きい
③「せーの」で1回目から入ってしまおう

POINT! ワンポイントアドバイス！

スタートは最初の4拍が重要なので、おもにトップから4人目とターナーでくり返し練習しよう！

リスタートする人を何人か決めておく

後方でミスが起きたらトップからリスタート

並びなおす

トップ

ラスト

ラスト3人目までの人がなわに引っかかったら、通常のスタートと同じようにトップからリスタートします。これが一番なれていますし、リスタートまでの時間も短くてすみます。

トップは、ラスト3人目からカウントできる

トップは、ラスト3人目から「サン、ニ」とカウントしはじめられます。またトップのすぐ後ろでミスが起きた場合、トップの準備が間にあわないため、ラスト3人目からのスタートが便利です。

トップと、ラストから3人目がリスタート役

コツ40で解説したスタート方法は、なわとびが苦手な人にとってはむずかしかもしれません。得意な人でも、ある程度は練習する必要があります。そこでリスタートする人をチーム内で何人か決めておくとよいでしょう。

おすすめはトップと、ラストから3人目です。トップはスタートが得意なのもありますが、途中でミスしてリスタートしなければならないときには、ラスト3人目からにするのです。このためトップと、ラストに次いで3人目の役割は重要になります。

後ろ3人以外のミスは
その3人を残して再開

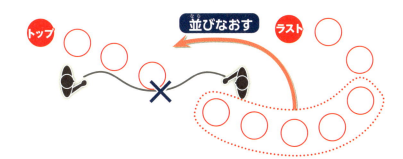

後ろ3人以外のところでなわに引っかかったら、残りは後ろから3人を残してすみやかにターナーの後ろから反対側で並びなおします。ターナーの準備ができたらすぐにリスタートします。

ココ を CHECK!

①リスタートは人選を考えよう
②トップかラストから
　3人目を選ぼう
③残った人は跳ばずに
　並びなおそう

POINT 1 ワンポイントアドバイス!

タイムアタックで
ミスをしたときに時計を
止めずにつづけると、
とても効果的な
リスタートの練習になる!

大会で成績をよくするコツ

うまくやろうと思わず普段どおりに大会に挑む！

　各地でなわとびの大会が開かれていますが、大会でよい成績をだすためのコツは「いつものようにやること」です。そんなのあたり前じゃないか、と思うかもしれませんが、これが意外とむずかしいものなのです。

　普段の練習では、体育館には仲間しかいません。観客もお父さんやお母さんたちだけ。しかし大会では、たくさんの人が注目しているなかで競技をします。しかも、いつもよりも広い体育館。緊張してカラダがかたまってしまう人がいるはずです。もし、緊張している人がいたら話しかけたり、笑いあったりしてやわらげてあげましょう。

　そして一番いけないのは、「よいところを見せたい」と張りきりすぎてしまうことです。長なわ跳びは、規則正しい動きとリズムを刻むことが大切です。ターナーがいつもと違う動きやリズムで回したら、ジャンパーはうまく跳べません。ですので、「うまくやろう！」という気持ちはおさえましょう。いつもどおり、平常心で！

Part

5

かっとびに
チャレンジしよう

1分間で跳んだのべ人数を競う

ジャンパーを何人ずつ
何組に分けるかが重要

POINT 1 　1組は4〜5人がベストな人数

何人1組にするか、何列つくるかは自由
です。一度にたくさん跳んで人数をかせ
ぐのか、1組の人数を少なくして、ピッ
チを上げて回数をかせぐかなど、チーム
の考えかたが表れます。

▼

8列がちょうどいい！

ジャンパーが38人のチームだとすると、1
組は4〜5人で8列にするのがベストです。
4カウントもしやすく、跳びやすさと、ピ
ッチのバランスがよくなります。

1組の人数と列の数がうまくいくカギ

「かっとび」とは、複数人が一緒になわを跳んで、1分間で跳んだのべ人数を競う競技です。8の字跳びとの共通点も多く、応用できるコツもあります。まずはルールです。1チームの人数は40人以下で構成します。ターナーはかならず2人いなければなりません。

から、1チームに最大数の40人がいる場合、のこりの38人がジャンパーになります。一般的には、4〜5人を1組にしますが、6人や7人でもOK。しかし、横幅が広くなり、跳ぶのがむずかしくなります。何人ずつ、何組にわけるかがポイントです。

POINT 2

6人以上で組むとピッチが遅くなる

表のように人数を増やしても同じピッチで跳べるなら、多いほうが有利ということになります。しかし実際は人数を6人以上にするとピッチはおそくなります。人数とピッチのバランスが大切です。

チームの人数40人、ターナー2人、
ジャンパー38人で、ピッチが100なら

1組の人数	列数	記録
1人	38列	100人
2人	19列	200人
3人	13列 （例：3人12組、2人1組）	約292人
4人	10列 （例：4人8組、3人2組）	約380人
5人	8列 （例：5人7組、3人1組）	約475人
6人	7列 （例：6人5組、4人2組）	約542人

記録の目安＝（ピッチ÷列）×ジャンパーの人数

POINT 3

人数が多いとすれ違いがむずかしい

1列の人数が多いと、トップとラストのすれ違いがむずかしくなります。もし5〜6人にする組があるなら、跳ぶ順番は真ん中にして、トップとラストは3〜4人にするとよいでしょう。

ラスト

ココ を CHECK!

①複数人のジャンパーが
　一度に跳ぼう
②1分間で跳んだ、
　のべ人数を競う競技だよ
③1組の人数を何人にするかがカギ

POINT 1 ワンポイントアドバイス!

ここでは40人を
前提にしましたが、
チーム事情によって
最適な組みあわせを
考えよう!

チーム編成と跳ぶ順番

列の両端にはリズム感や
運動能力の高い人をおく

POINT 1 中央が頂点になるよう山の形に配置する

能力がほとんど変わらない人がそろっているなら、3人の中央に身長の高い人を配置します。これを基準にして、人数が増えるごとに中央を頂点とした「山の形」になるようにすると、バランスがよくなります。

身長を合わせるなら背の順がおすすめ

1組のメンバーを同じくらいの身長でそろえられるなら、跳ぶ順番は背の順がよいでしょう。前方の視界を確保できれば、なわを確認できるため、入るタイミングがとりやすくなります。

列の中央に高身長の人をおく

チームに入るメンバーをどのような組みあわせにして、どのように並ぶかは、とても大切な要素です。チーム編成では、能力のほかに、人数や身長などがポイントになります。

列の両端はターンのとき、大回りと小回りを交互にくり返すため、ずっとシャトルランをしているようなもの。体力の消耗がはげしいため、運動能力が高く、リズム感のよい人がベストです。また、列の中央は身長の高い人を配置すると、バランスがよくなります。

POINT 2 なわとび初心者を中央に入れる

なわとびをはじめたばかりの初心者は、中央ではさんで練習すると、「サン」「二」のリズムや「入って」「跳ぶ」のタイミングを早くおぼえることができます。組んだ腕で両側から引きあげてあげましょう。

ココ を CHECK!

① 中央を高く、山なりに並ぼう
② 両端に運動能力の高い人を選ぼう
③ 初心者をはさむのもひとつの方法

POINT! 1 ワンポイントアドバイス!

最初は能力の高い人を
列ごとに入れて
苦手を克服して
全体の能力アップを
ねらおう!

動作をシンクロさせる

チーム全員の動作を完璧に合わせる

POINT 1 「せーの」を入れて足踏みをする

せーの

1人での長なわ跳びのように、最初のなわにあわせて「入って」をするのはむずかしいため、かけ声は「せーの」を入れて足踏みを開始。そこから「サン」「二」のカウントをします。

POINT 3

手をつないでイメージジャンプ

実際になわを跳ぶのはむずかしいので、手をつないで動きだけをあわせてみましょう。ポイントは全員で声をだすこと。声があえば、動作もあってきます。道具もいらず手軽に練習できます。

呼吸を合わせることが一番むずかしい

かっとびの最初の難関は、チーム全員の動作をシンクロさせることです。呼吸や歩幅、ジャンプの幅と高さ、抜けるときのスピードといったすべてのことを合わせるのです。

コツ48と49では、イメージジャンプという練習法を紹介しています。実際になわを跳んで練習する前に、イメージジャンプをくり返しておこなってみましょう。だれとだれが相性がよいのか、歩幅やジャンプがあっているのか、などを見て、チーム編成を考えます。

「入って」「跳ぶ」をシンクロさせる

足踏みをそろえたら「入って」でジャンプゾーンまで前進します。歩幅やテンポをピタリとあわせます。リズムは「ターン（サン）、ターン（二）、タンタン（入って）、タン（跳ぶ）」です。

ココ を CHECK！

①全員の動きをシンクロさせよう
②相性や能力を考慮して
　チームを組もう
③イメージジャンプを
　くり返し練習しよう

POINT! ワンポイントアドバイス！

実際になわを
跳ぶ前に
イメージジャンプで
全員の動作を
シンクロさせておこう！

コツ
45

結束のしかた

腰のあたりで腕を組んで
カラダを密着させる

POINT 1 腰に手をまわしてしっかり固定する

隣同士の人の肩と腰をくっつけて、腰にまわした手で固定します。このとき身長の高い人の腕が上になるようにすると、窮屈になりませんし、スキ間もうめるため安定しやすくなります。

腰で腕を組むと、固く組みあっているように見えますが、実はおたがいの動きはそれほどジャマしません。結束力がありつつ、ある程度の遊びもある、理想の組みかたです。

苦手な人を助けることもできる組みかた

　列の人数が何人でもよいように、メンバーがどのように結束するかも自由です。手をつないだり、ヒジを組んだり、肩を組んだりと、さまざまな方法があります。やりやすいと感じる方法でよいのですが、おすすめは腰のあたりで腕を組む方法です。こうすれば、おたがいが密着するため、一心同体で動けます。またリズムがずれたり、ターンで遅れたりした人を、うまい人が引っぱってあげられます。ジャンプが遅れたときも引きあげてあげられます。苦手な人の上達にもなります。

POINT 2

ヒジで組む
方法もある

隣同士のヒジをからめる方法もあります。自由に動けてよさそうですが、ヒジがからまっていると、見た目以上に走りにくいものです。また遅れた人を引っぱったり、引きあげたりはできません。

POINT 3

肩を組むと
強固に結束できる

一番かたく結束できるのが、肩を組む方法です。しかしおたがいの肩を上からおさえるような形なので、ジャンプしにくいという大きな欠点があります。

ココ を CHECK!

①ヒジ、肩、腰などで組もう
②腰で組むのがおすすめ
③いろいろな方法を
　ためしてみよう

POINT! ワンポイントアドバイス!

ここで紹介した結束は
どれが間違っているとか
正解とかではない。
やりやすい方法を
見つけよう!

ジャンパーの進入角度

「入って」の角度は 45度にあわせる

POINT 1　ターンのときカラダを内側に倒す

ターンのとき、アウト側がカラダを内側にかたむけると、すばやく小回りができます。上半身で隣の人を押すようなつもりでターンしましょう。このとき、イン側は回転の軸になって引っぱります。

軸

POINT 3

かっとびでも 「ピン」、「ピタッ」

とくに両端の人は、なわが頭にあたりそうに感じます。でも実際はジャンプしているとき、なわは床にあるのですから、あたることはありません。かっとびでも「ピン」、「ピタッ」で跳びましょう。

インの人がセーフティゾーンから入る

1人の長なわ跳びでは、セーフティゾーンから入って、セーフゾーンに抜けるのが、安全で効率のよい方法でした。しかし、かっとびは、列が横に長いため、インの人がセーフティゾーンにあわせ、アウトの人は外側へ広がります。抜けるときはア

ウトの人がセーフティゾーンへ、インの人が外側へ向かいます。

このときの角度は45度がよいでしょう。ターンしながら、「入って」までにこの角度にあわせるのが最難関のポイントです。チーム内で練習をくり返しましょう。

POINT **2**

入る角度は45度。
コース取りが重要

なわに入るのは45度が最適です。また入るときと抜けるときでは、インとアウトが逆になることにも注目しましょう。イン側だった人は、アウトになるため、セーフティゾーンよりもずっとアウト側へ抜けます。

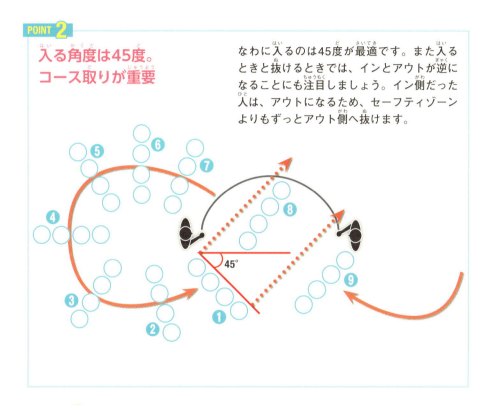

45°

ココ を **CHECK!**

① 「入って」の角度は45度
②45度をたもったまま抜けよう
③ 「ピン」、「ピタッ」はかっとびでも変わらないよ

POINT **1** **ワンポイントアドバイス!**

ターンのとき
トップは大きく回り
真ん中ではやや小さく
ラストになると
急いで小回りしよう!

ターナーのロープテクニック

ターナーは力強く 大きくなわを回す

ジャンパーが横に並び、横幅が広くなるため、なわと床の接地幅も、1.5〜2mまで広げます。なわもその分長くなるので重く感じます。かるくヒザを曲げ伸ばしして、リズムをとるようにします。

1.5〜2m

POINT 3

なわが床をたたくとき 力強く引きあげる

1人で跳ぶ8の字跳びのときよりも、なわの接地幅が広くなるため、なわがぶれやすくなります。ターナーは、なわが床をたたくときにアクセントをつけて、力強く引きあげるように回します。

ジャンパーにあわせてピッチを調整する

1人の長なわ跳びでは、ヒジや手首をつかってなわを回しました。その方がロープリカバリー（コツ31）にも好都合でした。しかしかっとびでは、一度になわに入っているジャンパーの人数が増えるので、それでは窮屈に感じてしまいます。そこで、腕をつかって大きく回すようにします。

腕をつかって回しても、ジャンパーにあわせてピッチを上げたり、落としたりはできます。やはり、リズム感のある人や、身長の高い人がターナーに向いています。

POINT 2 高身長の人が回すとジャンパーは楽に跳べる

1人長なわ跳びのときはヒジや手首をつかいましたが、かっとびでは腕をつかって大きく回します。ターナーには身長が高く、腕が長い人を選ぶと、ジャンパーは、「入って」「跳ぶ」が楽になります。

ココ を CHECK!

①なわの接地幅を広げよう
②腕をつかって大きく回そう
③なわを引きあげるときに 力強く回そう

POINT1 ワンポイントアドバイス!

ジャンパーの横幅が
広くなるので
半身になって
セーフティゾーンを
つくってあげよう！

かっとびの練習法①

動画をチェック！

四角形のイメージジャンプ

イメージを共有させて動作をシンクロさせる

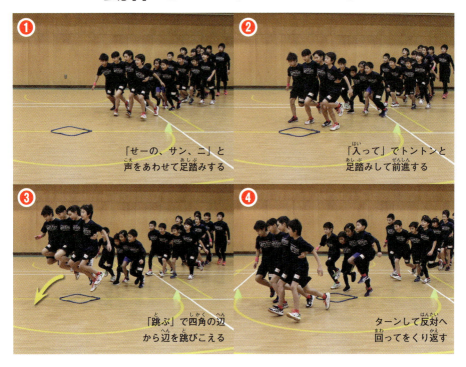

① 「せーの、サン、ニ」と声をあわせて足踏みする

② 「入って」でトントンと足踏みして前進する

③ 「跳ぶ」で四角の辺から辺を跳びこえる

④ ターンして反対へ回ってをくり返す

やり方

① ジャンプポイントに正方形のラインを引く。なわとびをつかっても、テープを貼ってもよい

② セーフティゾーンで四角形の辺に対して、横一列に並ぶ

③ 「せーの、サン、ニ」とカウントしながら進んで、四角形の手前で「入って」

④ 四角形の対面の辺の向こうまで「跳ぶ」

⑤ 動作がシンクロしていることをチェックしながらくり返す

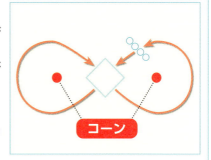

コーン

動画をチェック！

かっとびの練習法②

連続イメージジャンプ

「入って」「跳ぶ」の 動作を身につける

① 「サン、ニ」と声を あわせて前進する

② 「入って」で細かくステッ プして、「跳ぶ」で床に引 いたラインを跳びこえる

③ 「ハイ、ハイ」とカ ウントしながら、コ ーンを回る

④ ターンしたら「サン、ニ」から カウントし始めてくり返す

やり方

① 右図のようにコーンとなわを配置する。なわの代わり にマットなどをおいてもよい。幅は1m程度

② 「サン、ニ」とカウントしながら進む

③ 「入って」でタイミングをあわせて、向こう側まで 「跳ぶ」

④ 着地と同時にふたたび「入って」とカウントしてつづ けて「跳ぶ」

⑤ ターンして、「サン、ニ」からくり返す

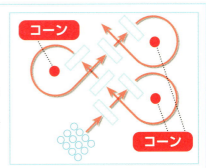

コーン

コーン

西沢 尚之

**一般社団法人E-JumpFuji
共同代表理事**

長なわ8の字跳び指導の第一人者。小学校の学級・学年づくりの一手段として長なわ8の字跳びを取り入れ、子どもたちの「やればできる」という気持ちや「仲間を大切にする」という気持ちを育んできた。2013年の24時間テレビ出演をきっかけに、長なわ8の字跳びの研究を本格的に始め、2017年には、跳縄TEAM E-JumpFuji（イージャンプフジ）の子どもたちと3分間で563回、1分間で230回、2018年には30秒間で118回

という長なわ8の字跳びのギネス世界記録を樹立した（その記録は2023年9月現在でも更新されていない）。その後もシングルロープやダブルダッチをTEAMの活動に取り入れ、シングルロープでは、全日本大会や世界大会・アジア大会へ選手を輩出している。

ギネス記録

2017年1月27日／長なわ8の字跳び　3分間563回
2017年9月8日／長なわ8の字跳び　1分間230回
2018年11月10日／長なわ8の字跳び　30秒間118回

撮影協力

跳縄E-Jump Fuji
（イージャンプフジ）

2013年に発足した縄跳びチーム。長なわ8の字跳びをはじめ、シングルロープ、ダブルダッチを楽しむ通常クラスと、全日本大会から世界大会やアジア大会を目指す選手クラスがあり、富士市内の子どもたちの他、市外や県外の子どもたちも通うチームとなっている。

ALLPLAY動画は
ここから

https://youtu.be/
qpMYejd9nsg

STAFF
●編集・動画／株式会社多聞堂
●取材・構成／大久保 亘
●撮影／勝又寛晃
●デザイン／田中図案室

動画付き改訂版　長なわ　8の字跳び　最強のコツ

2023年9月30日　　　第1版・第1刷発行

監修者　　西沢　尚之（にしざわ　なおゆき）
協　力　　一般財団法人日本ジャンプロープ連合
　　　　　（いっぱんざいだんほうじんにほんじゃんぷろーぷれんごう）
発行者　　株式会社メイツユニバーサルコンテンツ
　　　　　代表者　大羽　孝志
　　　　　〒102-0093 東京都千代田区平河町一丁目 1-8
印　刷　　中央精版印刷株式会社

◎『メイツ出版』は当社の商標です。

ご意見・ご感想はホームページから承っております。
ウェブサイト　https://www.mates-publishing.co.jp/

企画担当：堀明研斗

※本書は2018年発行の『基本から大会まで　勝つ！長なわ8の字跳び　最強のコツ』を元に、動画コンテンツの
追加と書名・装丁の変更、必要な情報の確認・更新を行い、「改訂版」として新たに発行したものです。